GRAS-
PARKIETEN

Inhoud

Beste dierenvriend,

De grasparkiet staat ongetwijfeld bovenaan de lijst van meest geliefde huisdieren. En met reden...! Hij kan wel 15 jaar worden, de kosten om zo'n parkiet te houden zijn laag, tijdens de vakantie kan hij makkelijk verzorgd worden door familie of kennissen en hij zoekt zelfs nauw contact met zijn verzorger. Toch zijn er zaken waarop u moet letten alvorens u een grasparkietje koopt.

Hebt u, net als zovele anderen, al een grasparkiet, of bent u een volslagen leek op dit gebied? In beide gevallen zoekt u in dit boekje wellicht meer informatie over de verzorging van deze kleine papegaaiensoort en toont u aan niet over één nacht ijs te willen gaan. Kortom, u bent zich bewust van de verantwoordelijkheid die u hebt, als u een huisdier houdt. Bovendien bent u bereid méér te betalen dan alleen de aanschafprijs van een grasparkiet. Elk dier moet namelijk naar zijn aard gehouden worden. Dat is iets waar de experts zich nog altijd het hoofd over breken, maar het betekent niks anders dan dat de natuurlijke omgeving van de grasparkiet en het eruit voortvloeiende gedrag de basis moeten zijn van de verzorging in huis. Het juiste voer is daar slechts een onderdeel van. Vliegt de grasparkiet veel? Belangrijk om te weten. Is hij een klauteraar of juist niet? Een eenling die graag in een beschut hoekje wegkruipt of een gezelligheidsdier? Dit boek gaat dus deels over de natuurlijke omgeving van de grasparkiet en deels over zijn leven in 'gevangenschap'.

Een huisdier houden gaat alleen, en dat geldt ook voor grasparkieten, als iedereen het eens is met de komst van het 'nieuwe gezinslid', want zo moet u het zien. Niet alleen de grasparkiet zal bij die houding welvaren en zich op zijn gemak voelen.

3

Een grasparkiet cadeau doen?

Veel mensen zijn gek op dieren. Op zichzelf is er niets op tegen iemand te plezieren met een huisdier. In het geval van grasparkieten moet echter aan een aantal voorwaarden zijn voldaan. Weet u zeker dat de 'gelukkige' graag een huisdier heeft? Is hij of zij bereid en in staat de lusten en lasten te dragen? Is een parkiet wel op zijn plaats bij een vriend of kennis die vaak op reis moet? Of, wat gelukkig niet zo vaak voorkomt, is hij of zij allergisch voor vogels?

Op de volgende bladzijden staan nog belangrijke zaken. Lees ze eerst, waarna u zelf kunt beslissen of mens en dier erbij gebaat zijn indien u iemand een grasparkiet cadeau doet.

Meestal blijft een grasparkiet zijn hele leven wonen in het huis van zijn eigenaar. Hoe wordt een vogel gelukkig in uw woonkamer?

De woning als leefruimte

Op gezette tijden de juiste verzorging is een van de voorwaarden voor een huisdier om zich op zijn gemak te voelen. Bovendien heeft een vogel meer dan de meeste andere dieren schone, frisse lucht nodig. Kortom, een grasparkiet of welke vogel ook, houdt niet van kettingrokers. Trouwens, de kooi permanent in de keuken zetten, heeft hetzelfde schadelijke effect.

Droge lucht vormt echter geen probleem. Per slot van rekening is de grasparkiet afkomstig uit woestijnachtige gebieden, waar de luchtvochtigheid altijd lager is dan bij u thuis. Met een onverwarmde kamer waar het kwik slechts 10 °C of nog minder aanwijst, zijn ze ook heel tevreden. Wel mag een parkiet die eenmaal gewend is aan de gewone kamertemperatuur van 20 °C niet plots in een kille ruimte worden gezet.

Grasparkieten ruiken niet. Aangezien ze fladderen, zullen er veertjes en graankaf uit de kooi de kamer inwaaien. Wat vaker stofzuigen is de oplossing. Hoewel, voor mensen die erg netjes zijn en geen vuiltje kunnen zien liggen, of erger nog, een neiging tot smetvrees hebben, is het beter geen grasparkiet in huis te nemen.

De kooi, het maakt niet uit hoe groot die is, kunt u het beste in een goedverlichte hoek zetten, maar nooit middenin de kamer! Bescherming tegen tocht is héél belangrijk!

De juiste kooi

Laat u niet te veel door de kleuren en afmetingen beïnvloeden. Per slot van rekening gaat het erom of de kooi praktisch is voor de vogel en zijn verzorger. Hoe groot moet de kooi zijn? Dat hangt ervan af of de parkiet de hele dag 'opgesloten' zit of ook in de kamer mag rondvliegen. In het laatste geval dient de kooilengte minstens vijftig centimeter te zijn: voldoende plaats om er te slapen en te rusten. Ook in de natuur zitten grasparkieten overdag tijdens hun rustuurtjes op dezelfde plek.

In de dierenspeciaalzaken vindt u kooimodellen te kust en te keur.

Er zijn kooien in de handel met zowel horizontale als verticale tralies. Kooien met horizontaal draadwerk (minstens aan twee zijden) zijn het meest geschikt voor de grasparkiet, die immers graag klautert en zodoende de kooi optimaal zal gebruiken. Neem bij voorkeur een eenvoudig, rechthoekig model, dat bovendien het makkelijkst schoon te houden is.

Verder is een verchroomde kooi beter. Die van kunststof bestaan in alle mogelijke kleuren en, toegegeven, zijn makkelijker schoon te maken, maar ze slijten sneller, wat u het eerst merkt aan het vervagen van de kleur. Ook durven sommige wijfjesparkieten met hun krachtige snavels knabbelen aan de zitstokken en de kunstofmantel van de tralies (vooral als ze een beginnetje hebben!). Gevolg is dat de ijzerdraad tevoorschijn komt en na enige tijd wegroest. Bovendien heeft een parkietensnavel geen enkele moeite met de kunststof klepjes, waarmee de voer- en drinkbakjes op hun plaats worden gehouden. Kortom, een metalen kooi heeft de meeste voordelen. Mits u de vogelpoep snel verwijderd, blijven de verchroomde exemplaren het langst mooi.

Een eenvoudig, rechthoekig model met horizontaal draadgaas is het meest geschikt voor de grasparkiet. De bodemla moet uitschuifbaar zijn.

Overigens is menige kooi voorzien van een niet-uitschuifbare strooiselbak. Ze worden veel gekocht omdat ze goedkoop zijn. Er is echter een nadeel. Tijdens de schoonmaak dient u het traliegedeelte op te lichten. Een handige parkiet grijpt zijn kans en ontsnapt.

*Een ladder... ideaal
om te klauteren.*

De kooi inrichten

Veel kooifabrikanten noemen hun producten 'een thuis voor vogels'. Toch een béétje pretentieus, aangezien de inrichting niet bijzonder goed is. De zitstangen hebben doorgaans een te geringe diameter om de vogels een goede houvast te bieden, waardoor de nagels doorgroeien. Bovendien zijn ze meestal van kunststof: makkelijk te reinigen, maar véél te glad. Vervang ze door takken, tenzij de grootte van de kooi het niet toelaat. Takken buigen ook beter, wat de gewrichten ontziet. Heel geschikt voor houvast en om aan te knagen zijn sterke twijgen van de fruitboom, de wilg, de beuk, de populier, de els, de berk, de linde en de vlierbes.

Voerbakje met over-kapping.

Een voerautomaat biedt een goede controlemogelijkheid.

Drinkflesjes worden aan de tralies bevestigd.

Klauwstokken en takken mogen niet boven andere zitstangen, open voerbakjes en drinkflesjes worden gemonteerd, dit om verontreiniging met vogelpoep te voorkomen. De zogenaamde voerautomaten zijn praktisch, het voer blijft altijd schoon. Ook automatische drinkwaterflesjes hebben hun nut al bewezen. Een zieke vogel zit overwegend op de vloer en heeft natuurlijk een waterbakje en een voerschaaltje nodig.

Op de bodem hoort een laagje zand, bedoeld om uitwerpselen op te vangen. Bovendien houdt zand de spijsvertering van elke zaadetende vogel op orde (zie ook blz. 21). Van de vele soorten die in de dierenspeciaalzaken worden aangeboden, is rivierzand het beste.

Een, twee of meer grasparkieten?

Vrijwel iedereen weet dat parkieten gezelligheidsdieren zijn. Een soortgenootje/speelkameraadje is dan ook zeer aan te bevelen. In de vrije natuur blijven de jongen een poosje in het 'gezin', waarna ze een paar maanden meevliegen in grote zwermen. Daarna volgt de partnerkeuze. Paartjes blijven meestal hun hele leven bij elkaar.

Buiten de broedtijd leven ze in grote zwermen en ziet u ze vaak bij voer- en drinkplaatsen en in hun slaapbomen gezellig bij elkaar zitten. Het is dus wreed een grasparkiet in z'n eentje in een kooi te zetten, het druist faliekant tegen zijn natuur in. Paartjes maken elkaars veren schoon, spelen en gaan gezellig, teder met elkaar om. Nee, hoe u ook uw best doet, zóveel aandacht en geduld kunt u uw vogel nooit geven.

Een nog zeer jonge grasparkiet zal snel proberen zich met u vertrouwd te maken. Trouwens, ook wat de relatie van de grasparkiet tot de objecten in de kooi betreft, is hetzelfde gedrag waar te nemen. Zoals het mannetje uw oor, neus en hand kopjes geeft, zo doet hij met een plastic nepparkiet en ander speelgoed, dat soms als partner wordt bejegend, dan weer als rivaal.

Een dierenvriend met begrip zal nooit slechts één grasparkiet houden, juist vanwege het sociale karakter van deze vogels. Als er een paartje in de kooi zit, hoeft u nooit een schuldgevoel te hebben.

Mannetje of wijfje?

Wilt u uw parkiet zo snel mogelijk tam hebben? Dan doet u er goed aan zijn soortgenootje pas na twee, drie weken in huis te nemen. Veel aandacht betekent dat de parkiet dan al tam is. De

8

Zo klauwen de nagels op de juiste manier om de zitstok. Rechts: Karakteristieke slaap-houding.

tweede vogel, natuurlijk ook een jonge vogel, zal in de eerste een voorbeeld zien en dus nóg vlugger met u vertrouwd raken.

Ongewenste kroost bestaat niet in de wereld van de huisparkiet, want u kunt aan geboortebeperking doen! Geen nestkast ophangen staat gelijk aan een onsuccesvolle broedtijd! Bovendien komen parkieten pas echt in een goede paarstemming als ze met velen zijn (kolonievogel). Hoe dan ook, om elk risico uit te sluiten, is het beter twee mannetjes te nemen die goed met elkaar kunnen opschieten. Hetzelfde geldt voor wijfjes.

Jonge of oude grasparkiet?

Wilt u grasparkieten fokken? Zoek dan vogels van zes tot acht maanden oud, die inmiddels hun volle verenkleur en neusdop-kleur hebben, zodat u de geslachten van de toekomstige fokdie-ren kunt bepalen. In andere gevallen is het beter de grasparkieten zo jong mogelijk te kopen.

Handelaars en fokkers die hun werk serieus nemen, zullen zeker goede raad geven over de ouderdom en het geslacht van de par-kiet. Hoewel... zelf van wanten weten, geeft toch op z'n minst een geruststellend gevoel.

De vraag naar nestjongen is groot. Babyparkietjes in een nestkast kunnen nog lang niet zelfstandig naar voedsel zoeken en zijn pas

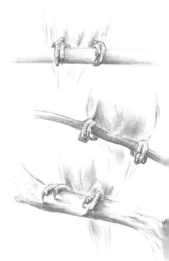

Zitstokken van ver-schillende diktes. De middelste is onge-schikt.

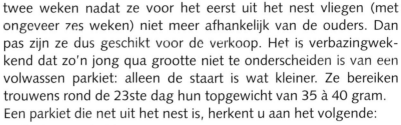

twee weken nadat ze voor het eerst uit het nest vliegen (met ongeveer zes weken) niet meer afhankelijk van de ouders. Dan pas zijn ze dus geschikt voor de verkoop. Het is verbazingwekkend dat zo'n jong qua grootte niet te onderscheiden is van een volwassen parkiet: alleen de staart is wat kleiner. Ze bereiken trouwens rond de 23ste dag hun topgewicht van 35 à 40 gram.

Een parkiet die net uit het nest is, herkent u aan het volgende:

- Grote, zwarte iris.
- Golftekening op de kop is vaag. In het algemeen zijn de veerkleuren matter dan bij een volwassen parkiet.
- Vrijwel zwarte snavel, vooral bij de punt. De zwarte kleur verdwijnt na korte tijd.
- De washuid (gedeelte tussen bovensnavel en voorhoofd waar geen veren groeien) is bij het mannetje rose tot bleek lila. Bij wijfjes is deze vaak lichtblauw en hebben de neusgaten witte randen.

Dit kleuronderscheid is echter niet honderd procent betrouwbaar, wat bij geslachtsbepaling van jonge vogels wel eens tot vergissingen leidt. Het geslacht bepalen is bij volwassen parkieten heel makkelijk. Groene en blauwe mannetjes hebben een blauwe washuid, witte, gele en gevlekte mannetjes als bij nestvogels. Wijfjes (alle kleuren) zijn voorzien van een bruine washuid.

Vaak worden in de dierenspeciaalzaken de wat grotere, duurdere siergrasparkieten aangeboden. Verzorg ze zoals bij 'gewone' soortgenoten de gewoonte is.

Is de grasparkiet gezond?

De juiste kleur uitge-zocht? Weet u of het een mannetje of wijfje is? Dan wordt het tijd om te kijken of uw toekomstige huisge-noot ook gezond is. Enkele tips om tot een redelijke betrouwbare beoordeling te komen.

Een tip: blijf een poosje uit de buurt van de kooi en zorg dat de vogel zich niet bekeken voelt. De zieke parkiet, die aanvankelijk bang de veren aanlegt, kijkt nu met halfopen ogen en een opge-zette verentooi uitgesproken slaperig voor zich uit.

Als de parkiet van uw keuze levendig is, kunt u hem door de handelaar of fokker uit de kooi laten halen.

Waarop moet u letten?

- Is de parkiet goed gevoed? Aan beide zijden van het borstbeen dient de borstspier duidelijk voelbaar te zijn.
- Geen afscheiding aan ogen en snavel.
- Schone cloaca.
- Lichtgrijze korstvorming bij de ogen en de snavel duidt op de aanwezigheid van schurftmijt.
- Controleer de pootjes. Soms mist de parkiet een nagel of zelfs een teen. Het is echter niet iets om u ongerust over te maken... gewoon een schoonheidsfoutje.
- Indien de vogel een ring heeft, controleer dan het jaartal (geboortejaar, wat van belang is als het een felkleurig manne-tje betreft bij wie, zoals al beschreven is, de nestwashuid niet veranderd is).

Het juiste vervoer

Veel mensen willen dat de fokker of winkelier de parkiet meteen in de (vreemde) kooi zet, bang als ze zijn dat de vogel tijdens de verhuizing of thuis, ontsnapt. Dat is echter niet aan te raden. Een parkiet zal van pure angst en opwinding tegen de tralies opvlie-gen en veren verliezen of, erger nog, zich misschien pijn doen. Alleen parkieten die al goed gewend zijn, mogen in hun kooi worden vervoerd!

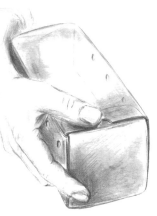

Pas op! Een karton-nen doos is slechts korte tijd bestand tegen de snavel van een grasparkiet.

Het is beter om de parkiet in een kistje te zetten (ze zijn in vrijwel alle dierenwinkels verkrijgbaar) of in een speciaal voor dat doel bestemd kartonnen doosje. Er mag trouwens maar één vogel tegelijk in vervoerd worden.

Bij extreme temperaturen zijn er nog enkele dingen waarop u tij-dens het transport, naar bijvoorbeeld een dierenarts, dient te let-ten.

- Tijdens zwoel, vochtig weer kunt u de parkiet beter niet ver-voeren, en zeker niet in de hand. Dat geldt in het bijzonder voor vogels met overgewicht. Zorg met warm weer voor een goede ventilatie, stop het doosje dus nooit in een tas en blijf

Eendracht in haar zuiverste vorm. Op commando worden exact dezelfde bewegingen gemaakt.

altijd in de schaduw! Let er tijdens het rijden in de auto op dat het kistje of doosje niet in de zon staat.

- Houd 's winters het doosje tijdens het vervoer onder de jas of leg er minstens een dikke doek overheen. Vermijd langdurige reizen. Bij felle kou de auto voorverwarmen.

Wennen aan de nieuwe omgeving

Uiteraard is het beter dat de kooi bij aankomst thuis klaar is voor gebruik. Alleen nog voer en water geven, dus... voor de zekerheid strooit u de eerste dagen een beetje voer op de bodem en hangt u op enkele plaatsen wat trosgierst. Nu kan uw nieuwe huisvriend de woning betrekken.

Bedenk hoe u zich voelde toen u voor het eerst uw huis betrad. Hoe vreemd alles aandeed en hoe u zich misschien niet op uw gemak voelde. De parkiet ervaart precies hetzelfde! Hij moest, gescheiden van zijn soortgenoten, een uur of nog langer in een eng transportdoosje zitten, zonder te weten waarheen de reis ging, waarna hij in wéér een nieuwe situatie belandde. Gun hem dus rust...

13

Indien uw parkiet niet meteen het doosje uit wil, mag u niet ongeduldig worden. Hij moet zelf de stap durven nemen om in zijn kooi te springen zonder dat uw gezin er met veel oooh's en aaah's bewonderend omheen staat, waardoor hij nog meer gestresst raakt.

Een paar dagen laat de parkiet nauwelijks van zich horen. Niet vreemd, hij voelt zich moederziel alleen. Als u er meteen twee gekocht hebt, zullen ze sneller aan de nieuwe omgeving wennen en voor u het weet monter rondstappen en klauteren.

Hebt u maar een parkiet gekocht? Dan kan de gewenning en, om het maar eens mooi te zeggen, het opbouwen van een vertrouwensrelatie langer duren. Hoewel, gewoon kijkplezier aan hen beleven kan ook. U geeft ze hun voer en water, houdt de kooi schoon en laat ze verder met rust.

Nog een beetje schuw voor de mensenhand?

Innig contact krijgen met de grasparkiet betekent zijn vertrouwen winnen. Allereerst moet hij de angst voor de mensenhand, waarmee hij nog geen goede ervaringen heeft, te boven komen.

Sommige mensen geven het advies de slagpennen te knippen om de parkiet eerder tam te krijgen. Maar dit is de slechtste manier om een vogel te vriend te houden, ook al staat het tegendeel ergens zwart op wit.

Voer is het sleutelwoord: de liefde van een vogel gaat door zijn maag. Bied hem iets lekkers aan in de hand, bijvoorbeeld trosgierst of een blaadje sla. Hij kijkt dan geïnteresseerd toe, maar heeft misschien nog niet de moed uit uw hand te eten. Geduld en nog eens geduld zijn vereist, want uw parkiet zal lang aarzelen. Als u elke dag een lekkernijtje aanbiedt, haalt hij op zeker moment het 'snoep' tussen uw vingers uit of stapt zelfs op uw hand. Vanaf dat moment kunt u proberen hem vrij door de kamer te laten vliegen.

Maaltijden en lekkernijen

In hun vaderland, Australië, eten grasparkieten voornamelijk verschillende soorten gras, waarvan de zaadjes al dan niet gerijpt zijn. Ze geven de voorkeur aan de nog groene, romig zachte, boven de droge harde zaden, al zijn ze met het laatste ook heel tevreden... als er tenminste niets anders te krijgen is.

Deugdelijke, betrouwbare zaadmengingen

Het in de dierenspeciaalzaken verkrijgbare parkietenvoer bestaat voor het grootste deel uit graszaden, waarvan gierst (ook een grassoort) de hoofdmoot vormt. Het gaat dan met name om de geelachtige plataangierst. Daartussen vindt u de rode zaden van de dakotagierst, die eigenlijk als opsmuk dient, want parkieten houden er niet zo van.

De wat langere, glanzende zaden zijn glanszaad (spitszaad). Verder zitten er nog gepelde haver, soms wat zwartzaad en doorgaans jodiumkorrels tussen.

Als u het gewone parkietenvoer wilt verrijken, doet u er wat meer glanszaad bij. Trouwens, met het pellen van haver (toedienen in een apart bakje) zijn ze een hele poos zoet.

Zolang er geen 'snoepgoed' in de buurt is, is de parkiet met bovengenoemde zaden zéér tevreden. Met zijn snavel wurmt hij de graankorrel uit de schil en laat die terug in het voerbakje val-

Iedereen die een grasparkiet in huis heeft, hoort te weten wat hij lekker vindt en op de hoogte te zijn van de verschillende soorten voer.

len. Wanneer uiteindelijk de toplaag met schilletjes is bedekt, zal uw parkiet niet proberen de eronder liggende zaden te pakken. Kortom, bij een vluchtige inspectie lijkt het voerbakje leeg, maar niets is minder waar. Zonde om alles weg te kieperen. Blaas het kaf dus gewoon even weg boven een vuilnisemmer.

Kiemzaad bereiden
Wilt u uw grasparkiet zo nu en dan echt verwennen en tegelijkertijd zijn maaltijd op een eenvoudige wijze van een extra portie vitaminen voorzien? Geef hem dan op gezette tijden kiemzaad. De korreltjes zijn niet alleen zachter, maar, vooral als de kiem zichtbaar is, erg voedzaam. Bovendien is het uitstekend fokvoer. Let wel, kiemzaad is bij warm weer slecht houdbaar. Al na een paar uur treedt er een verzuringsproces op en zijn de zaden ongeschikt voor consumptie. Het voerbakje moet dan elke dag schoongemaakt worden.

Trosgierst en ander 'snoepgoed'
Grasparkieten (ook die in de vrije natuur) zijn er gek op en pikken naar hartelust het zaad van de vruchttrosjes. Pluim- en trosgierst, het maakt niet uit of het roodbruine of gele is, vinden ze lekkerder dan de gewone kost. Bovendien worden zieke parkieten, die het alledaagse voer doorgaans links laten liggen, met trosgierst weer aangemoedigd om te eten. De korreltjes aan de twijg zijn nog niet helemaal droog en zodoende beter verteerbaar dan gewoon voer.
In de dierenspeciaalzaak vindt u een lange lijst van lekkernijen voor uw parkiet, zoals crackers, klokjes, hartjes en voerblokjes. Meestal betreft het dezelfde zaden met een vitaminetoevoeging, die verwerkt zijn in een bindmiddel dat de zaden bij elkaar houdt. Parkieten knabbelen graag aan dit harde 'snoepgoed'. Zet hen maar aan het werk, want net als veel andere huisdieren vervelen parkieten zich vaak.

Kiemzaad bereiden:
1. *Doe de benodigde daghoeveelheid in een vlakke schaal en voeg er water aan toe tot de korrels bedekt zijn.*
2. *Zet de schaal in een verwarmde ruimte. Na 24 uur gaan de zaden zwellen.*
3. *Spoel ze om in een zeef, verspreid ze daarna goed in een schaal. Dek met een natte doek af om uitdroging van de kiemzaden te voorkomen.*
4. *Binnen 24 uur ziet u de kiemen tevoorschijn komen.*
5 en 6. *Spoel nogmaals om in een zeef, laat vervolgens drogen op een vloei of ander papier dat water absorbeert. 'Serveer' daarna de lekkernij aan de parkiet.*

Voertoevoegingen

Voermengsels en toevoegingen zijn er te kust en te keur in de dierenspeciaalzaken. U kunt ze gerust als tussendoortje geven, ze brengen wat variatie in het voedselpatroon. De jodium-, honing-, en levertraanpareltjes zijn in kleine zakjes verkrijgbaar en als toevoeging bedoeld. Hoewel uw parkiet van de zogenaamde 'praat-pareltjes' niet meteen een vrolijke kletskous wordt, zal het lecithine, een bekend middel ter versterking van de zenuwen, meehelpen hem op zijn gemak te laten voelen.

Groenvoer en vitaminen

Bent u een parkietenliefhebber en hebt u een grote tuin? Dan moet u in mei, na de laatste nachtvorst, echt eens proberen wat gierst te verbouwen. Het gewone parkietenvoer is ook als zaadgoed prima te gebruiken. Oogsten in juli en augustus. Maar pas op, ook de vrije 'jongens' in de buurt zijn er gek op.

Naast het gewone zaad hoort ook groenvoer een regelmatig bestanddeel te zijn van de parkietenmaaltijd. Bijvoorbeeld vogelkruid, het groeit in de tuin en wordt door velen gezien als onkruid, of een schoongewassen slablaadje, natuurlijk zonder schadelijke bestrijdingsmiddelen. In de dierenspeciaalzaak zijn teelzaden verkrijgbaar om uw parkiet een hele poos van groen te voorzien. Een heel enkele parkiet vindt een stukje appel of een wortel ook heel lekker. Ziet u geen kans om op bovengenoemde wijze uw parkiet van het zo broodnodige, vitaminerijke groen te voorzien, dan kunt u altijd nog uw toevlucht nemen tot de bekende vitaminepreparaten (voor in het voer of het drinkwater).

Water om te drinken en zich te wassen

In Australië, hun oorspronkelijke leefmilieu, zijn parkieten niet verwend als het om water gaat. Het regent er vaak maandenlang niet en dan moeten ze ver vliegen om ergens een poel te vinden. Na een lange droogteperiode storten ze zich bij glooiende oevers in het lang ontbeerde nat. Parkieten houden het zonder water langer uit dan andere vogels.

Hoewel u misschien anders zou verwachten, is het toch van belang schoon drinkwater te geven. Het mag niet ijskoud zijn, daar anders de gevoelige stembanden eronder lijden. Laat het water eerst even staan, eventueel toegevoegd chloor kan dan verdampen. Bronwater zonder koolzuur is een goed alternatief. Het water in het badhuisje moet eveneens van goede kwaliteit zijn... per slot van rekening maken parkieten geen onderscheid tussen drinken badwater. Niet elke parkiet voldoet aan uw verwachtingen om in het badhuisje te stappen en daar eens lekker te spetteren. Sommigen zitten liever in een platte schaal of wentelen zich in een nat slablaadje. Weer anderen lijken watervrees te hebben en er zijn er ook die de hele kooi nat maken en het liefst, ja, ik ik it het goed, onder de druppende kraan van de gootsteen een douche nemen. Hoe dan ook, in zoverre de vogel dat op prijs stelt, dient u hem het hele jaar door de gelegenheid te geven zich te wassen, dus niet alleen 's zomers als het warm is.

Sommige parkieten douchen graag!

Kalk, zand en medicinale houtskool

Ook mineralen, met name kalk en fosfor, zijn van groot belang om uw vogel gezond te houden. Menige grasparkiet sloopt met veel plezier een kalksteen of een sepiaschelp. Troost u, het is een nuttig tijdverdrijf en de snavel wordt zodoende op een natuurlijke manier geslepen. Om toch niet te veel schelpen te hoeven kopen, legt u beter elke dag een stukje ervan in de voerbak. Of bestrooi een van zijn lekkernijtjes met een snufje kalkpoeder waarin vitaminen en mineralen zijn verwerkt.

Zandkorrels dienen als maalsteentjes voor alle zaadetende vogels. Ze helpen de zaadjes te verkleinen in de maag en verbeteren de spijsvertering. Hoewel... niet alle zand is geschikt. Gebruik rivier- of zeezand, aan de korrels zitten namelijk geen scherpe randjes die de maag en de darmen kunnen beschadigen. Het kalkgehalte in het zogenaamde mosselzand blijkt na oplossing in de maag te hoog te zijn en is daardoor niet geschikt voor parkietenconsumptie.

De werking van medicinale houtskool bij diarree en andere spijsverteringsproblemen mag bekend zijn. Ook voor de parkiet is het een probaat huismiddel!

Sepiaschelp (boven) of kalksteen (beneden) worden met een houdertje aan de tralies bevestigd.

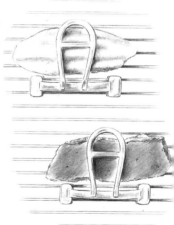

Heeft een grasparkiet speelgoed nodig?

Voor een grasparkiet is een kameraadje het allerbelangrijkste. Ze moedigen elkaar aan tot activiteit en zijn alleen al met het wederzijdse schoonmaken van de veren uren bezig.

In de natuur zijn de eet- en drinkplaatsen doorgaans ver van elkaar verwijderd. Bovendien zijn parkieten altijd op hun hoede, ze vormen immers een smakelijk hapje voor roofvogels en slangen. U merkt het al, de parkiet in uw kooi of volière heeft in zekere zin een zorgeloos leven, waardoor ook bij hem het begrip 'vrije tijd' om de hoek komt kijken. Zorg dus dat hij wat te doen heeft.

Aangezien het lastig blijkt takken in de kooi te bevestigen, is het raadzaam om, mits de vogel vrij rondvliegt, in de hoek van de kamer een kleine klauter- en knabbelboom (tak) te plaatsen.

Vergeleken met zijn vrije leventje in Australië is het alledaagse bestaan, zeker als de grasparkiet geen soortgenootje heeft, behoorlijk saai.

Een speelplaats biedt afwisseling. De inrichting naar behoefte veranderen.

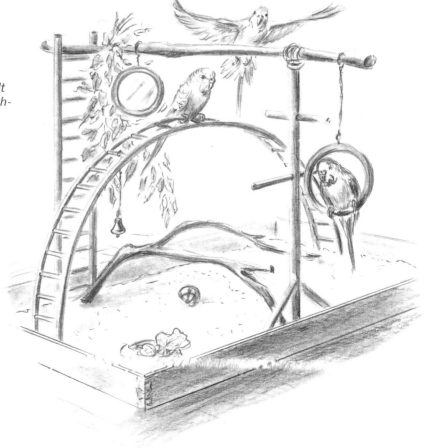

*Hij ziet er een beetje
raar uit, hé, dat witte
maatje van ons...
vindt u niet?*

Zet een dikke, knoestige tak van de fruitboom, de linde of de eik in een grote bloempot of bevestig hem aan een kerstboomhouder, en de 'speelhoek' wordt al snel een dagelijks uitje. Ook de in de handel verkrijgbare parkietenspeelplaatsen, compleet met klimtoestellen, laddertjes, schommels en wat al niet meer, bieden de parkiet veel afwisseling. Een kooischommel zorgt voor een goede evenwichtsoefening na de landing.

De parkiet die maatjes heeft mag zich gelukkig prijzen. Een eenling zult u zelf voortdurend bezig moeten houden. Dit kan door de parkiet 'aan het werk' te zetten door hem bepaalde voedingsmiddelen (zie blz. 18) aan te bieden of allerlei voor hem vreemde objecten in de kooi te hangen en te bevestigen. Het hoeft niet per se de zo bekende, plastic nepparkiet te zijn, vaak is een kiezelsteen, een munt of een belletje voldoende.

Liever een knoestige tak dan een felgekleurd laddertje... die beantwoordt per slot van rekening beter aan de natuurlijke behoefte van de parkiet. En snavelen met een maatje is bevredigender dan zichzelf voortdurend in een spiegeltje te zien.

23

Verzorging

Aangezien een parkiet geluiden maakt bij alles wat hij doet, wat hinderlijk kan zijn, zeker 's zomers, als het vroeg licht is, kunt u de kooi 's avonds het beste afdekken met een donkergekleurde doek. Pas als u het ding er 's morgens afhaalt, is de parkiet 'ingeschakeld' en begint hij zijn montere, actieve leventje.

Erg tamme vogels richten zich meestal naar het dagritme in huis en worden pas wakker als ook het baasje uit de veren is. Hoe dan ook, zie erop toe dat een dag van twaalf uur activiteit gevolgd wordt door een nacht met evenveel uren rust. Staat de kooi in de huiskamer en houdt de tv tot middernacht de parkiet wakker met bonte, flitsende kleuren? Dan is afdekken zéker op zijn plaats. Van stemmen en muziek die niet te hard staat, hebben ze minder last.

Een schone kooi... heel belangrijk

Wie een huisdier houdt, dient het begrip hygiëne en netheid hoog in het vaandel te hebben.

Vooral de drink- en voerbakjes moeten elke dag even in het sop gezet worden, want de randen van de waterbakjes zijn vlug vies. Langwerpige drinkautomaten kunnen eventueel met een flessenborstel schoongemaakt worden. Indien de voerbak niet met uitwerpselen verontreinigd is, is het voldoende het kaf weg te blazen en het bakje bij te vullen. Verwijder de uitwerpselen aan de zitstangen, wat ook geldt voor de speeltakken en de kooitralies, het voorkomt verkleuring van het chroom of de messing (chemische inwerking). In de kooiladen vindt u de meeste uitwerpselen onder de slaapplaatsen. Krab ze weg met een spatel of iets dergelijks.

Laat de uitwerpselen van een parkiet nooit liggen. Ze drogen snel in en de minuscule deeltjes worden door het gefladder de kamer ingewaaid en door mens en dier ingeademd.

Een keer per week...

Minstens een keer per week de kooi en alles erop en eraan in het sop zetten en grondig schoonmaken met de borstel... dus ook als de kooi er niet vies uitziet.

Terwijl de parkieten vrij door de kamer vliegen, hebt u even de tijd om de tralies van de kooi met water en zeep te reinigen. De badkuip of een grote wasfontein zijn voor dat doel heel geschikt. Blijven de vogels 'binnen', dan op z'n minst de kunststof bak eruit schuiven en goed boenen. Trouwens, ook in de kamer heeft

Bladzijde links: Elk veertje krijgt aandacht!

Zelfs in de vrije natuur houdt de parkiet zich aan een strikt dag- en nachtritme. Uitrekken, veren schoonmaken en eten... vaste prik tijdens de ochtendschemering.

een parkiet zijn lievelingsplaats, waar dus uitwerpselen kunnen liggen. Een krant op die plek leggen vergemakkelijkt de schoonmaak.

Bent u erg poetserig? Het lijkt wel of vogels er nooit aan wennen. Van wapperende stofdoeken, dreigende bezems en brommende, al dan niet loeiende stofzuigers gaan ze door het lint. Ze worden er verschrikkelijk stressig van en tonen vluchtgedrag... heb dus medelijden. Zorg ervoor dat de grasparkieten 's morgens tijdens het luchten niet in de tocht zitten of te sterk afkoelen. Zelfs de meest geharde 'jongens' worden op die manier makkelijk door een longontsteking geveld.

Zo leert de grasparkiet 'praten'

Zoals u ziet, staat het woord 'praten' tussen aanhalingstekens om aan te geven dat hun gebabbel geen intelligente, menselijke vorm van communiceren is. Zoek er dus niets achter als uw parkiet op een verraderlijk logische manier 'hallo' zegt als de telefoon rinkelt.

Wat u vooral niet mag vergeten

De parkiet die gewend is aan zijn omgeving, doet toenaderingspogingen door bijvoorbeeld zijn veren uit te zetten en heel lief het kopje scheef te houden. Stel hem niet teleur, hij verwacht namelijk een aai. Het belangrijkste van de spraaklessen is de vertrouwensband tussen u en uw parkiet. Zo min mogelijk afleiding is een andere vereiste. Verder mag de vogel niet ouder zijn dan twee, drie maanden en hebt u, als leraar, een behoorlijke portie geduld nodig én het geluk dat u een getalenteerde grasparkiet in huis hebt gehaald. De gave van het woorden herhalen is namelijk individueel bepaald.

Veel parkietjes leren met de tijd enkele woorden of zelfs een zinnetje. Weer anderen bootsen de steeds terugkerende geluiden in de woning of het gekwetter van merels en mussen in de tuin na. Ook zijn er parkieten die hun mond houden en zich beperken tot geluiden die hun eigen zijn.

Men verwacht van elke papegaaiachtige dat hij kan 'praten'. De grasparkiet hoort in elk geval tot de getalenteerden. Met een beetje geluk leert u hem 'praten'.

Zachtjes kroelen is de beste manier om een vertrouwensband te smeden.

In menige kooi hangt een bel en een spie-geltje. Vaak wordt het spiegelbeeld voor een rivaal aangezien, een die hij desalniettemin zo af en toe toch pro-beert te voeren.

Hoe geeft u les?

Tijdens het opbouwen van een vertrouwensband is het belangrijk om in het begin de vogel rustig toe te spreken en steeds weer zijn naam te zeggen.

Zodra hij helemaal tam is en op uw vinger gaat zitten, wordt het tijd voor spraaklessen. 's Avonds, als het schemert, is de beste periode. Herhaal voortdurend de woorden en zinnetjes die u hem wilt bijbrengen en weet dat parkieten met name gevoelig zijn voor sisklanken en de heldere i en e.

Na ongeveer twee weken mag u resultaat verwachten. Menige parkiet breidt daarna zijn repertoire uit tot hij een jaar of drie is. Volgens sommigen kunnen het wel honderd woorden zijn.

Eén vogel tegelijk 'onder handen nemen' is aan te bevelen. In een overvolle klas wordt weinig geleerd en dat geldt ook voor parkieten. Een paartje laten babbelen vergt érg veel geduld. Gebruik daarvoor een heel jong mannetje dat u bij een eveneens jong mannetje zet dat echter al kan praten. De laatste zal zich om de eerste bekommeren en hem de eerste dagen voeren... in elk geval kan hij zijn leermeester worden.

Nogmaals, hem leren praten vraagt veel van uw geduld, maar het is de moeite waard als u waarde hecht aan een babbelende parkiet in huis. De beslissing is aan u.

Verlies echter het belangrijkste niet uit het oog. Uiteindelijk gaat het erom dat de parkiet tevreden is bij een soortgenootje en dat u plezier aan hun aanwezigheid en gedrag beleeft... praten is dus eigenlijk maar bijzaak.

Rondvlucht door de kamer

***D**e parkiet is een goede vlieger en stelt het op prijs als hij elke dag even de vleugels mag strek-ken. Natuurlijk moet hij eerst gewend zijn aan de omgeving.*

Zodra de grasparkiet tam is, mag u alle twijfels overboord gooien en het kooideurtje openzetten, tenzij er natuurlijk gevaren loeren, zoals een open venster of een kierende deur! Het klinkt voor de hand liggend, maar u zult de eerste niet zijn die deze fout begaat. En als een parkiet eenmaal buiten is, laat dan alle hoop varen... uw hartendief zal nooit meer terugkomen, want zelfs de tamste vogel zal waarschijnlijk een heel eind vliegen. Misschien laat hij zich vangen, ergens... wie weet. U zult hem echter niet meer te zien krijgen, tenzij u het geluk hebt geen praten en die kwebbelgrage, niet-eenkennige parkiet naam en adres kan zeggen, wat trouwens wel eens is voorgekomen.

Vóór de eerste rondvlucht door de kamer trekt u de gordijnen dicht en hangt u een doek over spiegels en glazen deuren. Per slot van rekening is de parkiet op vreemd terrein en zal hij bij

Vaak heeft de snavel van een grasparkiet te weinig 'om handen'. Knagen aan de knoest van een tak biedt dan uitkomst.

gebrek aan ervaring misschien in volle vlucht tegen een ruit van deur of raam vliegen, met als gevolg een hersenschudding of zelfs een gebroken nek.

Ook hoge vazen vormen een gevaar op zichzelf. Het is vaker voorgekomen dat een parkiet erin valt en verdrinkt zonder dat iemand het merkt.

Andere enge zaken zijn de spleten tussen muur en kast en loodhoudende verf van tapijten en schilderijlijsten. Het laatste heeft menige parkiet het leven gekost, aangezien de parkiet in een zeker gewenningsstadium zijn omgeving ook met de snavel gaat verkennen. Gloeiend hete radiatoren, elektrische kookplaten, een aardappelpan op het vuur (zonder deksel), giftige kamerplanten, schoonmaakmiddelen... de lijst is érg lang.

Eigenlijk zijn parkieten net kleine kinderen. U dient de hele dag op hen te letten, anders gebeuren er ongelukken. Iets waar u zéker op bedacht moet zijn tijdens de eerste rondvlucht van de parkiet. Het vraagt geduld en tijd van u, neem daarvoor bijvoorbeeld een weekend waarin u niet veel om handen hebt. Het kan trouwens een poos duren alvorens de parkiet een poging waagt om uit zijn kooi te komen. Hem opjagen is natuurlijk uit den

Een sierlijke, elegante landing op de schommel: evenwichtsgymnastiek bij uitstek...

boze. Als hij er eindelijk uit durft, zoekt hij de hoogste plek in de kamer op. Gordijnstangen zijn in dat opzicht favoriet. Als u pech hebt, blijft hij daar de eerste uren zitten. Hoewel... een beetje lekkers in de kooi leggen is vaak nét voldoende om weer huiswaarts te gaan. In alle andere gevallen laat u hem rustig op de plek van zijn keuze zitten en geeft u alleen voer in zijn kooi. Laat in de avond kunt u dan alle lichten uitdoen en hem voorzichtig pakken. Met een bezem of een net jacht op hem maken, is uiteraard helemaal verkeerd. Het vertrouwen is dan een hele poos weg.

Wees u er tijdens elke rondvlucht van bewust dat de vogel in de kamer is en soms op de vloer zit of loopt.

31

Komen er kleintjes?

Ook grasparkieten vinden kinderen krijgen heel gewoon. Hoewel... bezint eer ge begint, is ook van toepassing op de parkietenliefhebber die een nestkastje ophangt en aldus de kat op het spek bindt.

Het nestkastje

In de natuur broeden grasparkieten voornamelijk in boomspleten en knoestgaten. Broedplaatsen die er dus heel anders uitzien dan de zo bekende spechtholen in de kaarsrechte bomen, waarin een mooi, keurig rond gat is gemaakt. Parkieten gebruiken zelfs een holle boom of een horizontale holte in een tak.

Gelukkig is het niet nodig uw parkiet een natuurgetrouwe reproductie van zo'n nest aan te bieden. De in de dierenspeciaalzaak verkrijgbare nestkastjes van spaanplaat of dunne plankjes zijn heel geschikt. Doorgaans zijn er twee soorten kastjes in de handel. Een hoog exemplaar met een kruipgat in de bovenste helft van de voorplaat, of een plat nesthok, waarvan de ingang zich links of rechts bevindt. Bij het laatste soort hok is de bodemplaat groter, wat gunstig is als er veel parkietenkleintjes op komst zijn. Bij de plattere nesthokken bevindt het kruipgat zich links of rechts van het nest, waardoor het risico dat het parkietenwijfje per ongeluk een ei breekt, praktisch nihil is, in tegenstelling tot de hoge nesthokken waarbij de parkiet er als het ware in moet springen. Verder kunnen nestverlaters makkelijker naar buiten en hoeven niet moeizaam langs de gladde wand het kruipgat proberen te bereiken. Kortom, een plat nesthok is beter.

In tegenstelling tot veel andere papegaaiensoorten willen wijfjesparkieten geen zachte ondergrond in hun nest. Indien u er houtkrullen, zaagsel of ander strooisel inlegt, zal de parkiet er alles weer uit halen... uitzonderingen bevestigen natuurlijk de regel.

Vindt u het niet erg dat de parkiet enkele weken vrij door het huis rondvliegt? Dan kunt u het nestkastje als een soort koekoeksklok aan de muur hangen. Heel decoratief. Wel in de kooi voeren, dus niet in het kastje. Indien zij slechts zo en dan mag vlie-

Bladzijde links: Dikke vrienden, dat ziet u zo!

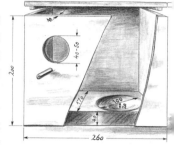

Voor wie graag knutselt, moet het bouwen van een toekomstige parkietenkinderkamer geen probleem zijn. Gebruik zacht hout, zoals triplex of spaanplaat. Vergeet niet om een glooiende uitsparing voor het nest in de bodemplaat te frasen.

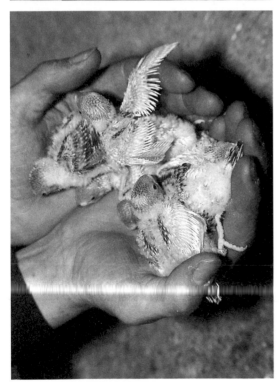

Voortplanting
1. Met een nestkastje is de wijfjesparkiet heel tevreden.
2. Na 18 dagen komen de eerste jongen uit het ei.
3. Na 8 tot 10 dagen zijn de slagpenkleuren al zichtbaar.
4. Hoewel het leeftijdsverschil tussen deze drie parkietenjongen elk drie dagen bedraagt, is dat na ongeveer drie weken vrijwel niet meer te zien.
5. Na een maand zitten ze mooi in de veren.

gen, is het beter het nesthok ergens aan de bovenste helft van de kooi te bevestigen. Indien de kooi te klein is, blijft alleen het deurtje over als meest geschikte plaats. Aangezien de kleinere kooien er slechts een hebben, moet het kastje tijdens het voeren en schoonmaken telkens verwijderd worden. Alleen zeer tamme, geduldige wijfjes, blijven tijdens zulke 'manoeuvres' onverstoord in het nest zitten.

De broedende grasparkiet

Theoretisch broedt de grasparkiet elk jaargetijde. In de natuur zijn ze niet anders gewend. Daar wachten ze de meest gunstige periode af om een nest te maken, waarbij ze zich niet aan een bepaald seizoen gebonden voelen. Alleen tijdens de rui broeden ze niet.

Toch is het aan te bevelen het nestkastje niet vóór maart op te hangen. Geef ze tijdens de broedtijd buiten het gewone voer en kiemvoer, eiwitrijke toevoegingen. Ondanks uw inspanningen blijft het de vraag of het paartje er zin in heeft. Als het echter zover is, dan mag het tweetal zo min mogelijk worden gestoord.

Grasparkieten zijn van huis uit kolonievogels, ook wat hun broedgedrag betreft. Het voorbeeld dat andere paartjes geven is dus vaak van wezenlijk belang om tot een broedbeslissing te komen. Zijn de pogingen gemeend, dan zult u dat duidelijk merken. Het mannetje gedraagt zich opgewonden en maakt het wijfje voortdurend het hof. Inderdaad, het zijn de wijfjes die de broedplaats uitkiezen... hopelijk valt haar keuze op het nestkastje dat u zo keurig voor haar hebt opgehangen.

Om de twee dagen wordt een ei gelegd en het wijfje gaat meteen broeden. Gemiddeld mag u vijf eieren verwachten, wat betekent dat het eerste parkietenjong de ogen open heeft en behoorlijk vitaal is, terwijl het vijfde jong pas uit het ei kruipt. Ondanks de verschillen in ontwikkeling wordt geen enkel parkietenbabytje verwaarloosd en krijgen ze allemaal de eerste twee dagen speciaal babyvoedsel dat bestaat uit een afscheiding die in de voormaag van de parkiet is gevormd.

Het broedende wijfje verlaat slechts enkele keren per dag heel even het nest om de behoefte te doen. De hoeveelheid ontlasting is dan ook aanzienlijk en kan een tiende van het lichaamsgewicht bedragen.

Het mannetje voert het wijfje tijdens de broedperiode. Zodra de jongen uit het ei zijn, krijgt het wijfje bij de ingang van het nestkastje haar eten. Zij voert dan weer de kleintjes. Na ongeveer twee weken gaat de vogelvader naar binnen en voert mee.

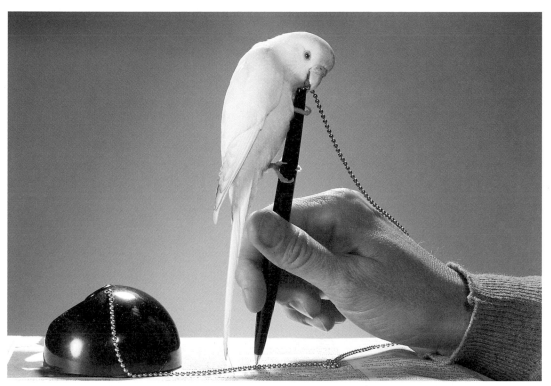

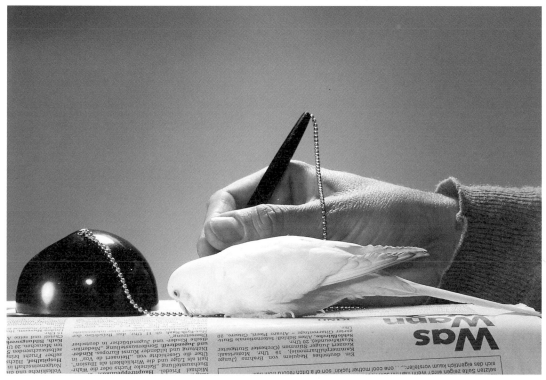

Als de kleintjes uit het ei zijn

Om ze tot gezonde, krachtige vogels te laten uitgroeien, is het nodig de parkietenouders naast kwalitatief goed voer ook fokvoer aan te bieden, dat u verbetert met wat gekookte eierdooier, gedroogde kwark, geraspte peen en een vitamine-mineralen-mengsel in poedervorm.

Vergeet ook het kiemzaad niet! (blz. 16)

* De eieren worden 18 dagen bebroed en de jongen blijven ongeveer vijf weken in het nest. Ze hebben dan grote, zwarte ogen, een al even zwarte snavel en een vage kleurtekening.
* Het mannetje bekommert zich daarna nog een à twee weken om de jongen, waarna ze zelfstandig zijn.

Als de jongen uitvliegen, is het nestkastje doorgaans behoorlijk vies. Vaak, als u het hok hebt schoongemaakt, wil de parkiet nóg wel eens broeden.

Tweemaal vlak achter elkaar moet echter de limiet zijn. Broeden vergt namelijk veel van hun reserves.

De kleuren van de grasparkiet

In Australië leven alleen groene grasparkieten. Tussen de vogelzwermen ziet men zelden een gele of blauwe. De groene (schut)kleur heeft met de overlevingskansen in de vrije natuur te maken, die behoorlijk gering zijn...

Eigenlijk bestaat groen uit de kleuren geel en blauw. Iedereen die vroeger op school wel eens kleuren heeft gemengd, zal dat beamen. Blijkbaar mengt de natuur ook, al gaat een en ander wat gecompliceerder in z'n werk dan op het verfpalet.

De natuur als ideale kleurenmengster

De blauw- en geelfactor zijn erfelijk bepaald. Als beide kleuren in dezelfde mate in het erfelijk materiaal voorkomen, zoals gewoonlijk het geval is, hebben we met een groene vogel te maken. Bij deze zien we in het middengedeelte van de veer donkere kleurdeeltjes en aan de buitenzijde gele.

Een blauwe parkiet mist de geelfactor, het blauw onstaat door lichtbreking. Een parkiet met een gele kleur heeft geen donkere kleurdeeltjes en een witte parkiet mist beiden.

Alle kleurnuances en vlekken, en het zijn er veel, zijn aan de hand van deze basisregel te verklaren. Vanzelf-

Bladzijde links: Deze uitstekend gelukte foto laat bij uitstek de kleurenpracht van de parkietenvleugel zien.

De parkiet
1. Washuid
2. Bovensnavel
3. Wangvlek
4. Keelvlekken
5. Borst
6. Buik
7. Bovenpoot
8. Onderpoot
9. Staartveren
10. Slagveren
11. Vleugeldekveren
12. Rug
13. Polsgewricht

sprekend blijven alle kleuren in het bereik blauw, geel, groen, wit. Rood komt niet voor, hoezeer de parkieten-fokkers er ook van dromen dat zoiets moois ooit werkelijkheid mag worden.

Parkieten maken zich niet druk wie welke kleur heeft. De fokker wel, natuurlijk om commerciële redenen. Door bepaalde vogels bij elkaar te zetten, hoopt hij op een verrassende kleurenpracht bij de nakomelingen.

Wie er meer over wil weten, kan er het beste een boek over erfelijkheid op naslaan.

Kleurnuances en mutaties

In de fokwereld en uiteraard ook in de natuur vindt u vele voorbeelden van afwijkende kleurschakeringen. De gele parkiet werd voor het eerst gefokt in België, in 1872.

Ook zijn er mutaties, waarbij de vorm van de veren is veranderd. Zo zijn er kuifparkieten, waarbij de kopveren alle richtingen uit groeien en er een heuse pony ontstaat. Verder zijn er soorten met langere veren. Of we met deze onnatuurlijke ontwikkeling blij moeten zijn, is nog zeer de vraag.

Typisch parkietenge-drag: het mannetje voert het wijfje.

Bladzijde rechts: Deze witte parkiet voelt zich zichtbaar op zijn gemak bij zijn nieuwe vriend en speelkameraadje.

De kleurcombinaties van de grasparkiet

1. *De kleuren van de grasparkiet zijn onder te verdelen in de twee hoofdgroepen groen en blauw. Groen omvat de kleuren felgroen, donkergroen, olijfgroen, grijsgroen en geel. Blauw omvat felblauw, donkerblauw, zachtpaars, violet, grijs en wit.*

2. *De albino is wit en heeft rode ogen.*

3. *De felgroene parkiet... een oerkleur.*

4. *De gele parkiet mist de blauwe en donkere kleurdeeltjes.*

5. *De grijze parkiet heeft een gelijkmatig grijze borst en buik.*

6. *Donkerblauwe parkiet met witte kop.*

Dc zieke grasparkiet

Er kunnen altijd ziekten optreden, hoe goed u uw grasparkiet ook verzorgt. Als hij lijdt aan een ziekte of een verwonding, kunt u beter zo snel mogelijk met uw grasparkiet naar een dierenarts gaan, aangezien ziekten bij vogels zeer snel evolueren

De eerste symptomen dat er iets mis is, zijn slechte eetlust, passiviteit, slaperigheid en een veranderde ontlasting.

Verkoudheid. De symptomen zijn niezen, neusafscheiding en (doorgaans) oogontsteking. Meestal zijn verwende kamervogels het slachtoffer. Ook te koud drinkwater, tocht en een plotse, lage kamertemperatuur kunnen de boosdoeners zijn.

➡ U kunt dan warmte toedienen, bijvoorbeeld door met een infrarood- of bureaulamp de plek waar de vogel altijd zit te verwarmen tot 30 à 33°C.

Spijsverteringsproblemen. Wanneer het zaadvoer te lang in de krop blijft (als een hard balletje bij de keel voelbaar) bestaat het gevaar van kropontsteking.

➡ Laat de parkiet drie uur vasten en doe kamillethee in zijn drinkbakje. Meestal volstaat deze behandeling. Geef na de kortdurende vastenperiode vogelbeschuit en krachtvoer. Een kropontsteking door de dierenarts laten behandelen.

Diarree. Darmirritatie. De vogel zit dan meestal zielig op de bodem van de kooi. Het gevaar bestaat dat de cloaca door ontlasting verkleefd raakt.

➡ Maak de cloaca schoon en knip delen van sterk verontreinigde veren af, plaats een warmtelamp, geef lichtverteerbaar voedsel, kamillethee en vogelnorit. Waarschuw een dierenarts. Meestal is de ziekte te voorkomen door toe te zien op kwaliteitsvoer en de vogel geen tussendoortjes te geven, zoals koekjes, enz... kortom alles wat u lekker vindt.

Papegaaienziekte (= ornithose). Bij hardnekkige diarree, ademnood, neusafscheiding en een etterige ontsteking van het bindvlies van het oog, kan de papegaaienziekte in het spel zijn. Het is een gevaarlijke kwaal.

➡ Onderzoek van de ontlasting biedt uitsluitsel. Bij nauw contact met de vogel is de ziekte overdraagbaar op mensen.

Jicht. U ziet een lichtgekleurde afzetting op de teengewrichten, die allengs minder beweeglijk worden.

➡ Door het verminderen van het eiwitgehalte in het voer kunt u de ziekte een halt toeroepen.

Verwondingen. Indien u de wonde verzorgt met een bloedstelpend preparaat helen zelfs lelijk uitziende wonden relatief snel. Bij vleugel- en pootbreuk fixeert de dierenarts het aangedane lichaamsdeel in de natuurlijke positie door middel van een zwachtel of kleefverband. Helaas, vaak accepteert de parkiet het verband niet en scheurt het in repen. Dat kunt u voorkomen door de parkiet een kraagje om te doen. Verzwikking en verrekking treden meestal op als de parkiet ergens achter blijft haken door te lange nagels.

Ruiproblemen. Het regelmatig verliezen van een deel van de veren is een natuurlijk proces.

➡ Geef in de periode van het wisselen voldoende vitaminen en mineralen en vermijd stress (bijvoorbeeld vangen of uit de kooi halen). Een hoge luchtvochtigheid heeft een gunstige uitwerking.

Zo houdt u de parkiet vast bij het knippen van de nagels.

Te lange snavel en uitgegroeide nagels. Abnormale groei van snavel en nagels is geen ziekte, maar doorgaans het gevolg van een verzorgingsfout. Meestal is de boosdoener een te dunne en gladde zitstok. Dikwijls is gedwongen passiviteit de oorzaak van een abnormaal lange snavel. Geef uw parkiet dus voldoende te knabbelen. Er kan echter ook aanleg in het spel zijn. Veel parkieten hebben geen last van een doorgegroeide snavel of nagel, hoewel ze onder dezelfde (slechte) omstandigheden leven.

➡ U moet er hoe dan ook op letten dat de nagels niet te lang worden en gaan krullen, of erger nog, dat uw parkiet zich op een kwaaie dag met zijn snavel aan de borst vastspietst. Nagel- en snavelknippen (met een nageltangetje of scheermes) is makkelijk, maar kunt u toch beter aan een vakman overlaten. Om niet gebeten te worden, houdt men de vogel met een handschoen vast. Draai de parkiet daarbij niet op zijn rug! Zoals de tekening laat zien, wordt de snavel met twee knipbewegingen gekort om de natuurlijke vorm te behouden. Stelp eventuele bloedinkjes met een watje gedrenkt in ijzerchloride.

Houd er de lamp bij, zodat u het verloop van de bloedvaten ziet. Blijf zo'n 2 mm uit de buurt van de bloedvaten en werk zoals op de tekening is aangegeven.

Grasparkieten die in de vrije natuur gewend zijn de nestholte zelf uit te knagen, zullen in gevangenschap nauwelijks de mogelijkheid hebben hun snavel adequaat te scherpen. Kalksteen en sepiaschelp zijn in dat opzicht slechts een kort leven beschoren en bovendien niet hard genoeg om als 'parkietensteen' te dienen. Een stukje tegel of baksteen kan uitkomst bieden.

Rode vogelmijt. Nachtelijke onrust en verzwakte of zelfs overleden jongen in de nestkast wijzen op de aanwezigheid van minuscule bloedzuigertjes, ofwel mijten. Ze zijn alleen 's avonds en 's nachts actief en houden zich overdag schuil in spleetjes en andere donkere plaatsen in de kooi, en zijn daar te herkennen aan een lichtgrijs goedje wat op afscheiding lijkt. Zitten de mijten ook bij uw parkiet in de kooi? Een diagnose is makkelijk te stellen. Leg 's nachts een doek over de tralies en u ziet 's morgens donkerrode kogelvormige stipjes aan de onderzijde van de doek.

➡ Maak de kooi grondig schoon. Zorg voor een andere nestkast. Gebruik het bestrijdingsmiddel alleen om de kooi te ontsmetten!

Darmparasieten. Gebrek aan eetlust, passiviteit... het kunnen tekenen zijn dat de parkiet last heeft van darmparasieten.

➡ Onderzoek van de ontlasting brengt uitsluitsel. Verzamel ontlasting door een stukje papier onder de vogelslaapplaats te leggen en breng dit naar de dierenarts. Eencelligen, coccidiën en wormen zijn dan makkelijk te diagnostiseren.

Een voorbeeld van een 'ziekenboeg', compleet met infraroodlamp.

De grasparkiet en de wet

Voor informatie over Belgische en Nederlandse wetgeving op het gebied van parkieten, kanaries en ander gevogelte kunt u terecht bij vogelclubs. Zij kunnen u inlichtingen verstrekken over het ringen, fokken, uitvoeren, enz.

Wie grasparkieten koopt of fokt, is gehouden aan wettelijke bepalingen, waarover u meer te weten kunt komen bij vogelclubs.

Register

Bronnen van illustraties:
Alle foto's van Regina Kuhn, behalve p. 34 en 35: Franz Pfeffer.
Alle tekeningen van Siegfried Lokau.

Originele titel: Wellensittiche (Kurt Kolar)
© MCMXCVI Eugen Ulmer GmbH & Co, Stuttgart.
© Zuidnederlandse Uitgeverij N.V., Aartselaar, België, MCMXCIX.
Alle rechten voorbehouden.

Nederlandse vertaling: Harry Naus
D-MCMXCIX-0001-113
NUGI 410